中国户县农民画

Peintures paysannes du canton de Hu
Province de Chen-si, Chine

Galerie nationale du Canada
Musées nationaux du Canada

Dans le monde actuel, la culture, la littérature et l'art appartiennent à des classes définies et sont orientés selon des lignes politiques définies. En réalité, l'art pour l'art, l'art qui est au-dessus des classes, l'art qui est détaché ou indépendant de la politique, n'existe pas. La littérature et l'art du prolétariat sont partie intégrante de la cause révolutionnaire prolétarienne toute entière; ce sont, comme le dit Lénine, les rouages de la machine révolutionnaire.

Mao Tsé-toung (1942)

À l'occasion de l'exposition nationale d'art, tenue à la Galerie de Pékin en octobre et novembre 1973, la salle principale était consacrée à la peinture professionnelle contemporaine alors que dans la salle du haut avait lieu une exposition remarquable d'œuvres d'artistes paysans amateurs du canton de Hu (Huh-sien), de la province de Chen-si. C'est là que, pour la première fois, Chinois aussi bien qu'étrangers découvraient cette nouvelle peinture de la Chine nouvelle.

La présente exposition comprend des œuvres de plusieurs artistes figurant dans cette grande première. Près d'un quart des toiles sont des variantes des tableaux exposés à Pékin, exécutées pour la plupart depuis 1973.

L'Arts Council tient à exprimer sa vive reconnaissance au Gouvernement de la République populaire de Chine qui a autorisé la présentation de cette exposition dans quatre centres en Angleterre. Nous tenons également à remercier chaleureusement le personnel de la section culturelle de l'Ambassade de Chine à Londres pour son amabilité et sa patience à répondre si complaisamment à toutes nos questions sur le sujet des tableaux.

Nous aimerions exprimer toute notre gratitude à Mme Birgitta Hansson et à M. Per-Olow Leijon, conservateur de l'Östasiatiska Museet de Stockholm (où a déjà été présentée l'exposition) qui nous ont donné force renseignements et nous ont fait parvenir des diachromies de toutes les œuvres.

La Society for Anglo-Chinese Understanding nous a aidés à retracer des références et des sources, ce dont nous lui sommes reconnaissants. Nous avons aussi une dette de reconnaissance envers le Great-Britain-China Centre qui a apporté sa collaboration dans le domaine pratique.

Nous remercions tout particulièrement M. Guy Brett qui a bien voulu se charger de commenter les tableaux (au moment de la rédaction il ne disposait que des diachromies) et de composer l'introduction et les notices explicatives de ce catalogue.

Parmi ceux qui ont donné généreusement de leur temps et de leur compétence, nous aimerions citer en particulier M. Koh Eng-swee, M. et Mme Tang Ka Cheung, M. Mei Wen-fang, Mme Jill Newsome, M. Graham Tanner, M. Roland Ber-ger et la famille Sheringham — surtout M. Michael Sheringham à Pékin, qui a mis en marche le processus et a finalement amené l'exposition en Angleterre.

Le directeur des services artistiques
Robin Campbell

La directrice des expositions
Joanna Drew

Préface

La Galerie nationale du Canada remercie chaleureusement la République populaire de Chine ainsi que Wang Ping-nan, le président de l'Association chinoise pour l'amitié avec les peuples étrangers, qui ont rendu possible la tournée canadienne de cette exposition.

La Galerie nationale prit connaissance de cette exposition en 1976 lors de sa présentation à Londres sous les auspices de l'Arts Council of Great Britain. Nous sommes surtout redevables à M. Hugh Shaw, l'organisateur des expositions du Arts Council of Great Britain, à M. Jacques Montpetit, le directeur des Affaires culturelles au ministère des Affaires extérieures, à Ottawa, et aux membres du personnel de l'ambassade du Canada, à Pékin, dont l'effort et la bienveillance permirent la tournée de l'exposition à Ottawa, Saskatoon, Victoria, Halifax et Toronto.

La directrice de la
Galerie nationale du Canada
Hsio-Yen Shih

Introduction

Les livres et les journaux, au cours des trente dernières années, nous ont appris que la campagne chinoise et la vie de ses habitants avaient connu une évolution marquante. Mais il nous est malaisé de saisir ces changements, comme il nous est difficile de nous mettre à la place de ces paysans soumis aux conditions de vie de la Chine ancienne (comme le sont encore d'ailleurs des millions d'êtres humains du Tiers-Monde), peinant sur des lopins de terre, abandonnant presque tout ce qu'ils produisent aux seigneurs féodaux, à la merci des inondations et de la famine, qui mènent un long combat et chassent le seigneur. L'extraordinaire énergie humaine libérée lors de la révolution des paysans chinois a été encouragée par les réelles améliorations de leurs conditions de vie. Dans le lent passage d'une agriculture individuelle à une agriculture collective, ils découvrent leurs propres pouvoirs et prennent confiance non seulement dans la nouvelle exploitation des terres qui change la face de l'antique paysage, mais aussi dans l'édification progressive d'écoles, de services de santé, d'une culture — de tout un mode de vie.

Ces peintures sont les premières œuvres d'art à nous venir du cœur de ces changements. «Du cœur» parce qu'elles sont exécutées par ces mêmes paysans qui prirent part aux changements et parce que, en tant qu'œuvres d'art, elles touchent aux sentiments, à ce qu'apprécie le peuple.

La peinture huhsienne a atteint la célébrité parce que les Chinois la considèrent comme l'expression des objectifs de leur révolution dans le domaine de l'art. Ils considèrent qu'elle ouvre la voie à la création d'un art vraiment populaire et ce, pour des raisons qui sont naturellement aussi bien sociales et politiques qu'esthétiques.

À strictement parler, les peintres huhsiens sont des artistes «amateurs». Ce sont des paysans, des maîtres d'école de commune, des agronomes-paysans et des médecins aux pieds-nus, qui peignent en plus du métier qu'ils exercent. Mais ce terme «amateur» recouvre une véritable révolution: la chute des barrières mentales vieilles de milliers d'années: Le développement des activités artistiques de toutes sortes, parmi les ouvriers, les paysans et les soldats, a démarré dans le milieu des années 60, pendant la Révolution Culturelle et n'aurait pu avoir lieu sans cette irrésistible incursion populaire dans les domaines jusque-là réservés aux intellectuels.

Dans la démocratisation du domaine de l'art, certains problèmes ont pu être résolus par des mesures administratives. Par exemple, les collections privées sont passées dans le domaine public. Le marché de l'art, la spéculation financière sur les œuvres d'art ont été abolis. Les artistes professionnels de la Chine d'aujourd'hui sont soutenus financièrement par l'État. Ils reçoivent un salaire, habituellement pour le poste qu'ils occupent dans un organisme culturel quelconque, et le matériel est fourni gratuitement. À la différence de notre propre système, l'accent est mis sur l'importance politique et sociale du travail culturel en général et non sur l'épanouissement ou l'échec de carrières individuelles.

Mais il est d'autres problèmes plus profonds qui ne sont pas si faciles à résoudre. Si la vie culturelle doit vraiment appartenir à la majorité, à l'ensemble de la communauté, et en être l'émanation, il y a de nombreuses structures mentales qui doivent être identifiées et critiquées, structures par lesquelles l'ancienne classe dirigeante maintenait son contrôle.

Le peintre ou l'intellectuel peut recevoir le même salaire que l'ouvrier, mais il a encore conscience d'être à un niveau supérieur parce qu'il travaille d'abord intellectuellement, tandis que l'ouvrier croit que le travail manuel le condamne à une existence dont sont bannis la pensée et le sentiment. C'est l'attaque lancée contre cette grande «division du travail» par des millions de personnes de tous les milieux — fermes, usines, écoles, hôpitaux, universités, théâtres, etc. — à travers tout le pays, qui a constitué la Révolution Culturelle.

Des millions de personnes se posèrent la question que Mao Tsé-toung avait posée dans ses *Conversations au Forum de Yenan sur la littérature et l'art* (1942): «La littérature et l'art pour qui?». Et il n'y eut plus de doute sur les idées et les attitudes qu'il fallait combattre si l'art et la littérature devaient cesser d'être le privilège et le «reflet» d'une classe restreinte pour prendre part à l'évolution des masses populaires.

Le mouvement artistique du canton de Hu, province de Chen-si, a connu des débuts très modestes. En fait, cela a commencé sur le chantier de construction d'un nouveau réservoir en 1958, l'année du «Grand Bond En Avant», lorsque quelques individus eurent l'idée de peindre le travail en cours à titre de document et de stimulant. Au départ, les conditions étaient difficiles et quand ils ne pouvaient pas se procurer de peinture, ils fabriquaient leurs propres couleurs à base de suie, de terre rouge et de chaux. Mais leur initiative a été reprise par le Comité du parti du canton qui a organisé des cours de dessin où les professionnels pouvaient enseigner leur technique aux peintres paysans.

Graduellement, l'imagerie commença à envahir la vie quotidienne de la région. Les murs des villages étaient décorés de peintures murales, des expositions en plein air se tenaient dans les champs, des tableaux servaient à l'enseignement, et même les murs de réservoirs et de canalisations d'eau étaient peints. Parallèlement à l'irrigation des terres, à la fertilisation des sols, à l'accroissement des récoltes, à la construction de maisons de meilleure qualité, de cliniques, de bibliothèques, de terrains de jeux, la peinture a connu un grand développement. De plus en plus de gens s'y engagèrent, soit directement comme peintres, soit comme critiques: les tableaux faisaient l'objet de discussions continuelles et souvent le peintre y apportait des changements si quelque détail significatif y manquait.

Toutes ces transformations ont été considérablement accélérées dans le Huhsien, ainsi qu'en d'autres endroits, par la Grande révolution culturelle prolétarienne qui clarifia les principes théoriques sous-tendant les initiatives que les paysans avaient déjà prises dans la pratique. En montrant qu'ils voulaient peindre, écrire, danser aussi bien que produire la nourriture de la nation, ils mettaient en question la séparation entre le travail intellectuel et le travail manuel et ils forçaient les cercles artistiques à réagir dans le sens contraire. Les artistes professionnels se mirent à consacrer une partie de leur temps à travailler dans des communes et des usines. Leurs relations avec les amateurs ont cessé d'être à sens unique, pour devenir le lieu de l'échange de savoir réciproque. Cette notion du génie solitaire de l'artiste (qu'il en ait conscience ou non) souvent tyrannique car elle paralyse les gens dans leurs propres productions, a été battue en brèche par le nombre naissant de travailleurs et de paysans artistes — ce qui a constitué un encouragement pour tous les autres. Il est maintenant tout aussi important de produire que de consommer dans le domaine artistique; et, comme dans le domaine sportif, si vos performances sont inférieures à celles des autres, vous n'êtes pas «vaincus»: on vous aide à vous perfectionner.

Comment ces luttes, toujours ouvertes et qui connaissent de nombreuses difficultés à trouver la solution dans les détails, s'expriment-elles dans les peintures elles-mêmes? Elles n'y sont pas exprimées directement. Il est évident que ces peintures respirent toutes l'optimisme et le bonheur et qu'elles veulent susciter l'enthousiasme du public. En cela, elles se font l'écho du style d'images unificatrices que produisent les autres nouvelles sociétés socialistes. En Chine, sous une forme nouvelle, elles semblent poursuivre la vieille tradition paysanne de peintures du Nouvel An (laquelle existait déjà dans le Huhsien) évoquant l'espoir que la fortune sourirait au cours de l'année à venir. Le respect des formes d'art populaire et le désir de les ressusciter remontent aux premiers jours de la révolution chinoise, à Yenan dans les années 30, alors que les jeunes artistes citadins allaient à la recherche des artisans et adaptaient leur style à la transmission d'un message politique ou éducatif. (À la différence des premières années de l'Union soviétique où les artistes citadins avaient peu de contacts avec la campagne et s'embarquaient brillamment mais impétueusement dans leur expérimentation, l'évolution du mouvement artistique, en Chine, est allée de pair avec celle des mouvements de santé, de pédagogie, d'économie et de politique.) Mao lui-même a affirmé que la nouvelle culture socialiste n'était autre que la culture paysanne portée à un nouveau plan. À mesure que les paysans prenaient en main leur existence, leur art perdait sa pieuse superstition, mais gardait sa fantaisie, son rêve, et tirait son inspiration des nouvelles réalités économiques, fondement de la vie du peuple tout entier. La combinaison de cette fantaisie et de ce réalisme est la source de l'énergie que révèlent beaucoup de ces peintures: il nous est possible de constater les innovations que les peintres ont imaginées pour y parvenir.

Le réservoir des Gorges profondes, de Hang Kao-she (cat. nº 25), typique d'un genre de peinture que les artistes paysans ont commencé à introduire, utilise une sorte de composition multicellulaire. La perspective est incurvée afin de faire apparaître une vaste étendue défrichée et nouvellement irriguée. Plusieurs lieux sont présentés: le réservoir, le barrage, les canalisations, les différentes cultures des champs en terrasses, les moissons dans des champs bien entretenus sous le barrage, les reboisements, les camions emmenant les récoltes, les stations de pompage, une troupe de canards groupés autour d'un bateau sur le réservoir bleu. *Nouvel aspect de notre brigade*, de Cheng Min-sheng (cat. nº 31), présente aussi plusieurs aires d'activités liées entre elles, et dans *Sports et jeux*, de Liu Kuang-cheng (cat. nº 32), le même principe s'applique aux sports dans une scène nocturne. Le propre de ce genre de composition est qu'elle met également en évidence différentes activités; montrant ainsi qu'aucune n'est plus importante qu'une autre, et que toutes sont solidaires entre elles. Elle se refuse à simplement présenter la campagne comme un «point de vue», en intégrant au vaste espace circulaire le détail précis et minutieux intéressant ceux qui travaillent la terre: les gestes propres à chaque travailleur, ses outils, jusqu'à sa bouteille Thermos et son calepin. Le concept de «paysage» englobe visuellement aussi celui de panorama, de carte, de jardin, d'usine, de laboratoire. Nous sommes ainsi en présence de toutes les différentes transformations assumées par les entreprises depuis la Révolution culturelle prolétarienne: l'école qui est aussi une usine; l'usine qui est également une ferme.

Il est évident que l'emploi d'une telle forme est voulu et qu'il est le fruit de la recherche d'une méthode artistique qui ne se borne pas à exprimer uniquement l'évolution extrinsèque du milieu physique, à savoir les villages, les champs, mais qui décrit aussi l'évolution intrinsèque de l'attitude des gens vis-à-vis de leurs semblables, du travail, de la nature. Les méthodes employées ne sont pas les mêmes; certaines sont plus avancées que d'autres. Il y a des peintures qui ont adopté le Réalisme Socialiste, hérité de l'art soviétique s'inspirant lui-même de l'art pompier de la fin du XIXᵉ siècle, et dont certains procédés de composition empêchent l'expression de rapports nouveaux et révolutionnaires. Par exemple, dans *Rappel des hauts faits du héros Lei Feng*, de Chao Kunhan (cat. nᵒ 19), le groupement des personnages obéit aux vieux principes hiérarchiques selon lesquels l'accent est mis sur une seule personne tandis que les autres ne sont que secondaires. Dans ce tableau, le sujet est du «tout-fait»: rien n'est laissé à l'imagination. La petite échelle n'est pas intégrée dans la grande, et la nature ne constitue qu'une pâle toile de fond à l'activité humaine.

Comparons-le à *On apprend à tout âge* de Shan Chun-jung (cat. nᵒ 55), dans lequel un sujet semblable — l'enseignant et les élèves — n'est pas traité hiérarchiquement. On y présente au contraire le professeur et l'auditoire, sur le même plan, entourés des petits arbres qui sont la substance et la signification même de l'enseignement. Le peintre s'ingénie à rendre la simplicité des gestes quotidiens de chacun lorsqu'il s'asseoit pour écouter. Le tableau ne dit plus, de façon moralisante, «vous»; il dit «nous».

Certains croiront que ces peintures n'ont qu'un seul sujet: le travail. Mais en regardant avec attention, on s'aperçoit que ce travail représente une réalité différente de celle que nous mettons habituellement sous ce terme. Beaucoup de ces tableaux expriment des situations dans lesquelles travail et loisir tendent à se confondre, où ce qui les sépare tend à disparaître. Ceci ne s'applique pas seulement à des scènes où les danses et les sports ont lieu au milieu de tous les engins de la ferme (*Rencontre sportive de paysans*, de Hang Chin-pu [cat. nᵒ 29], montre la nouveauté et la poésie de cette situation). Il y en a d'autres, tel *Comptoir d'État d'achat du coton*, de Liu Hui-sheng (cat. nᵒ 39), ou *Blé exposé au soleil* de Li Cheng-hua (cat. nᵒ 67), dans lesquelles le travail collectif lui-même est présenté de telle sorte, que le mot Travail avec ses connotations (pénible, fatigant) semble inapproprié. Il n'apparaît pas non plus comme la lutte herculéenne contre une terre intraitable, mais comme quelque chose de léger et sportif, amusant, et qui n'est plus une

activité strictement masculine. Les cultures asiatiques ont toujours eu enraciné au fond d'elles-mêmes ce désir d'atteindre à une absence d'effort dans l'action (par exemple, en taï-ki ou en calligraphie). Mais ici ce désir est lié au relations de coopération entre les hommes.

Si dans les peintures du Réalisme Socialiste l'homme apparaît encore, dominant la Nature, isolé d'elle, d'autres peintures le montrent comme étant son partenaire. Dans des peintures telles *Les kakis sont mûrs au pied du mont Chungnan*, de Tu Chih-lien (cat. nᵒ 30), *Une belle récolte d'aubergines*, de Li Tsui-ying (cat. nᵒ 36), et d'autres encore, hommes et femmes maîtrisent la nature, la rendant pleinement fertile, sans toutefois l'assujettir. L'abondance de fruits, de légumes ou de poissons, qui semble primitive, incontrôlable, met en relief le geste calme et rationnel du personnage qui s'en réjouit et la contrôle. Tout comme dans les motifs décoratifs de l'art populaire employés pour suggérer cette abondance nouvelle, il y a ici un élément très ancien qui reprend vie. Il n'est pas vraiment fantaisiste d'établir un rapport direct entre la densité visuelle des tabeaux et les innovations que les paysans ont introduites dans l'exploitation agricole elle-même, comme la «plantation serrée», par exemple.

La belle et complexe peinture de Wang Yung-yi et Yang Chih-hsien (cat. nᵒ 22) approfondit ces thèmes. On y remarque à la fois beaucoup de régularité et de variété. Les porcheries sont identiques, disposées selon un modèle qu'enrichissent les nombreux légumes qui poussent entre elles — quant aux porcs entassés, il n'y en a pas deux qui soient semblables. D'une porcherie à l'autre, le comportement de chaque porc est présenté avec soin. Il en va de même pour la représentation des poulets, des canards et des moutons. De toute évidence, celui qui les a peints connaît très bien leur comportement (même si, comme dans *En gardant les chèvres*, de Pai Tien-hsueh [cat. nᵒ 40], les bergers eux-mêmes, perdus dans leur conversation, semblent ignorer le troupeau). L'uniformité et la variété se complètent et semblent être le résultat d'un comportement scientifique dans l'agriculture.

Dans les peintures comme celles-ci, l'artiste joint sa facilité de se faire comprendre à son désir de résumer, de jouer avec les ressources plastiques, de dépasser la simple illustration. (En soi, une attitude dialectique: si un tableau est prévisible et n'a aucun mystère, qui s'y arrêtera? Qui y reviendra?) À côté des efforts plutôt timides pour rajeunir le style du paysage classique et l'influence attardée de l'académisme soviétique, ce sont ces qualités intrinsèques qui ont fait ressortir les peintures de Huhsien dans les expositions d'art en Chine. Les tableaux ont une grande fraîcheur. On peut se demander si cette fraîcheur tient de la naïveté. Quelle sera l'évolution de cet art quand les artistes feront des études plus poussées et qu'augmenteront leur talent et leurs connaissances? Car mis à part leur effet sur notre monde artistique ultra-sophistiqué, dans le contexte chinois lui-même ces tableaux doivent sembler avoir un aspect naïf propre.

Il y a une différence entre la «naïveté» qui est due à la technique du débutant et la «naïveté» qui naît d'une perception nouvelle. Il ne faut pas les confondre. Comme le disait justement un artiste chinois (dans une interview avec l'écrivain américain S. Marie Carson): «Aimer l'art paysan pour ce qu'il a de primitif et ne pas vouloir qu'il change est une attitude élitiste malsaine.» On pourrait également dire: Mépriser l'art paysan parce qu'il est primitif et souhaiter qu'il se conforme à une idée de «grand art» est une attitude tout aussi dangereuse. Les deux proviennent d'une conception académique de ce qui est bien ou ne l'est pas; elles ignorent la complexité avec laquelle les formes agissent sur l'esprit et sur les sens. Cette manifestation particulière évoluera et changera sûrement — personne ne peut dire dans quel sens — dans la mesure où les artistes ne s'éloigneront pas de leurs sources, de la vie du peuple, et en suivront la progression.

Le danger principal, comme dans tout autre domaine de l'existence, est la bureaucratisation. Lorsque des gens éloignés de la réalité, de la vie, prennent le pouvoir, alors une tendance à la généralisation s'instaure, visant à rendre les choses conformes à des définitions toutes faites. L'art se ritualise, perdant son humanisme et sa réalité. Cela s'accompagne d'une attitude de condescendance vis-à-vis du public et d'un mépris de ses capacités de compréhension, et conduit à la stagnation dans l'art comme partout ailleurs. L'éducation est un des éléments qui peut empêcher que cela n'arrive, car si la «réalité de l'existence» peut s'étendre jusqu'au processus pédagogique, si les rapports entre les ouvriers-artistes, les artistes professionnels et les experts dans le domaine de l'art sont vraiment des échanges, les talents et l'imagination mis en jeu ne seront pas liés à des formes particulières ni à des stéréotypes. De cette façon, entre l'art et la technique, entre la production artistique et la production matérielle des nécessités quotidiennes, d'autres grandes barrières pourront sauter.

L'émancipation de la société de la propriété privée, etc., de la servitude, devient en politique l'émancipation des travailleurs; ce n'est pas que leur seule émancipation est en jeu: en fait, l'émancipation des travailleurs englobe celle de toute l'humanité, et si elle l'englobe, c'est parce que toute la servitude humaine est résumée dans le rapport qui existe entre le travailleur et la production et toute relation de servitude n'est qu'une modification et une conséquence de ce rapport.

Karl Marx (1844)

1

Un ancien secrétaire du Parti

Liu Chih-teh
(h)
Secrétaire du Parti d'une brigade de production

Gouache   90 x 61 cm

2

Sarclage de printemps

Li Feng-lan
(f)
Tête du groupe du coton d'une brigade de production

Gouache   93 x 125 cm

«Ce ne fut pas facile pour une femme comme moi de me lancer dans la création artistique. Je travaillais dans les champs la plus grande partie de l'année et j'avais mes devoirs à remplir vis-à-vis de ma famille. Je ne pouvais peindre que dans le peu de temps qui me restait. En outre, certains conservateurs regardaient de travers une villageoise qui peignait et faisaient des remarques froides et sarcastiques...» Li Feng-lan.

3

Le vivier de notre commune

Tung Cheng-yi
(h)
Membre d'une commune

Gouache   89 x 145 cm

«Nous, les artistes, nous peignons l'avenir et aussi l'idéal révolutionnaire, pas seulement les choses telles qu'elles sont. Dans notre
village, le vivier n'est pas exactement comme cela; il est entouré
d'un mur. Mais pour suggérer le brillant avenir, j'ai enlevé le mur.
Pour exprimer la récolte exceptionnelle, tous les poissons sautent,
toutes leurs écailles sont brillantes et luisent... Les petits poissons
s'échappent du filet; celui-ci ne les retient pas. Les petits poissons
représentent la jeune génération qui grandit. Cela veut montrer
l'évolution; nous ne mangeons pas tout le poisson...» Tung Cheng-yi
   Sur les chapeaux de paille, on lit: «Au service du peuple».

4

Séance d'étude

Liu Chih-kuei
(h)
Secrétaire du Parti d'une brigade de production
Également l'auteur du n° 15

Gouache   122 x 174 cm

Réunion politique sur les lieux d'une construction. Les Documents
du Xe Congrès du Parti y sont étudiés; les deux banderolles princi-
pales exhortent le peuple à les étudier soigneusement et à mettre
à exécution les «tâches de lutte» déterminées au Congrès. À gauche,
un homme tient le drapeau d'une «brigade de choc» de travailleurs
et la femme qui se trouve sur la droite, le drapeau de la «brigade du
8 mars» (brigade féminine).

5

Critique de Lin Piao et de Confucius devant les vestiges de chars de guerre d'un ancien propriétaire d'esclaves

Yang Sheng-mao
(h)
Membre d'une commune
Également l'auteur du n° 6

Gouache   90 x 61 cm

Sur la banderolle, en haut: «Menez jusqu'au bout la lutte pour critiquer Lin Piao et Confucius». Confucius, qui vivait à l'époque où déclinait la société esclavagiste pour faire place à la féodalité, est associé aux tentatives de restauration de la société antique. Les gens, debout autour des vestiges de la tombe d'un propriétaire d'esclaves, dans laquelle les conducteurs de chars avaient été enterrés vivants (avec les chars et les chevaux), expriment leur indignation que Confucius ait encouragé le retour à une société où de telles choses étaient possibles. À son tour, Lin Piao est accusé d'avoir essayé de restaurer l'ancien ordre des élites et privilèges bourgeois.

6

Ils s'intéressent aux affaires de l'État

Yang Sheng-mao
(h)
Membre d'une commune
Également l'auteur du n° 5

Estampe sur bois, huile et gouache   89 x 62 cm

Lecture du *Quotidien du Peuple* pendant une pause. Le titre du tableau est tiré de Mao Tsé-toung: «Intéressez-vous aux affaires de l'État. Menez la grande révolution culturelle prolétarienne jusqu'au bout». La participation active est vivement encouragée. «Demandez-vous pourquoi et pour quoi», «La rébellion est justifiée!»

7

Cours du soir en politique

Pai Tien-hsueh
(h)
Comptable d'une brigade de production
Également l'auteur des nos 40 et 60

Gouache et encre   89 x 62 cm

8

Proclamation des Documents du IVe Congrès national populaire

Chen Min-sheng
(h)
Membre d'une commune
Également l'auteur des nos 13, 31, 50 et 68

Gouache   82 x 112 cm

Au IVe Congrès national populaire en janvier 1975, la nouvelle constitution de la République populaire de Chine a été adoptée. Le Congrès national populaire est le plus haut organe de pouvoir de l'État sous l'autorité du Parti communiste chinois. Il se compose de députés élus par les provinces, les régions autonomes, les municipalités et l'Armée Populaire de Libération (l'APL).

9

Village nouveau, esprit nouveau

Fan Chih-hua
(h)
Chef du groupe de recherche d'une brigade de production
Également l'auteur du n° 76

Gouache   82 x 116 cm

Exposition en plein-air dans un village. La banderolle, en haut, proclame la nécessité d'édifier le socialisme et de s'opposer résolument à un retour au capitalisme.

10

Continuons à progresser

Chao Hsi-ling   Chao Kun-han
(h)   (h)
Membre d'une commune   Membre d'une commune
                        A également peint le n° 19

Gouache   90 x 118 cm

Une des plus actives parmi les jeunes membres de la commune revient d'une conférence. Elle rapporte des livres, des documents et des idées neuves et explique comment les communes, avec leurs expériences et leurs innovations diverses, peuvent s'entraider dans la marche vers le progrès.

11

Éducateur politique

Ma Ya-li
(f)
Membre d'une commune
Également l'auteur du n° 42

Gouache   68 x 82 cm

Cette scène se déroule dans une maison particulière. Le professeur expose un point de la théorie politique marxiste auquel la Chine d'aujourd'hui accorde beaucoup d'importance. Elle explique comment, dans la période de transition du capitalisme au communisme, le principe socialiste «à chacun selon son travail» s'applique encore et se rattache à l'idée du «droit bourgeois». Quand la société passera au communisme, ce principe socialiste fera place au principe communiste «à chacun selon ses besoins». Les fusils accrochés au mur évoquent la détermination du peuple à défendre la révolution.

12

Propagande sur un chantier de construction

Yang Chih-hsien
(h)
Membre d'une commune
Également l'auteur des n°s 22 et 26

Gouache   122 x 88 cm

Une charrette mobile de propagande a été amenée sur un chantier de construction. L'inscription, en haut à gauche, se lit: «Comité de critique du chantier» et celle du dessous: «Déracinez les bases sociales de la clique anti-Parti de Lin Piao». Il est évident que ce tableau a été peint à l'époque où la campagne de critique de Lin Piao et de Confucius était à son apogée. La partie supérieure de la charrette fait mention des réalisations des travailleurs locaux, tandis qu'au bas figure une collection de dessins qui caricaturent le comportement bourgeois.

13

Élection du leader de l'équipe

Cheng Min-sheng
(h)
Membre d'une commune
Également l'auteur des nos 8, 31, 50 et 68

Gouache   90 x 123 cm

L'équipe de production est le groupe de travail de base dans la commune. Plusieurs équipes forment une brigade et un certain nombre de brigades forment une commune. Celle-ci est plus qu'une unité de production; elle est aussi un organe de gouvernement local puisqu'elle est également responsable des transports, des communications, des services médicaux, éducatifs et autres. D'après les résultats inscrits sur le tableau, la jeune fille, au centre gauche, a été élue leader à l'unanimité.

14

«Je fais pousser grain et coton pour notre mère patrie»

Liu Fang
(f)
Membre d'une commune
Également l'auteur du no 21

Gouache   73 x 123 cm

Les paroles du chant sont écrites au tableau. Les communes cultivent à la base ce dont elles ont besoin pour leur nourriture, mais elles doivent contribuer chaque année en impôt une quantité fixe de grain. Chaque commune décide en outre de l'excédent qu'elle vendra à l'État.

15

Élèves d'une école d'agriculture

Liu Chih-kuei
(h)
Secrétaire du Parti d'une brigade de production
Également l'auteur du n° 4

Gouache   89 x 123 cm

Sur une parcelle expérimentale, un vieux professeur paysan fait remarquer les qualités d'une variété particulière de blé. On désire allier les connaissances techniques des jeunes gens qui ont reçu une formation universitaire au savoir-faire des vieux paysans.

16

Souhaits de Nouvel An à la famille d'un soldat de l'APL

Chang Chun-hsia
(f)
Membre d'une commune
Également l'auteur du n° 50

Gouache   80 x 110 cm

En Chine, on a coutume d'apporter au Nouvel An une carte de vœux à la famille d'une personne qui sert dans l'APL (Armée Populaire de Libération) et d'en faire une vraie fête avec de la musique, des danses et des feux d'artifice.

17

Ils ouvrent de nouveaux champs

Chien Yung-hsin
(h)
Membre d'une commune

Gouache   88 x 122 cm

Sur les panneaux au sommet du tableau, on peut lire: «Si nous travaillons dur, nous changerons le visage de la terre et elle nous offrira des récoltes abondantes.» Dans le coin inférieur gauche, un tableau encadré par des faisceaux de fusils (allusion à l'entraînement des miliciens à la campagne) et par des seaux contenant des rafraîchissements, porte un slogan de Mao Tsé-toung: «Unissons-nous et nous remporterons des victoires encore plus éclatantes.»

18

Pose de conduite d'eau

Liu Shuan-chin
(f)
Membre d'une commune

Gouache   89 x 123 cm

Reproduction en couleur, p. 55

19

Rappel des hauts faits du héros Lei Feng

Chao Kun-han
(h)
Membre d'une commune
Également l'auteur du n° 10

Gouache   88 x 122 cm

La jeune recrue de l'APL raconte la vie du soldat Lei Feng, mort en 1964, et qui a laissé le souvenir d'un homme sincèrement «dévoué à la cause du peuple». Le jeune soldat en fait autant; avec les outils qu'il a apportés, il aide la commune à effectuer diverses réparations. À l'arrière-plan, bannière déployée, un groupe d'écoliers s'avance; ils vont travailler dans les champs. Le tableau porte une citation de Lénine: «Le ''Communisme'' ne commence vraiment qu'avec l'apparition des subbotniks, c'est-à-dire lorsque de nombreuses personnes travaillent pour le bien public, sans rémunération et sans aucune direction, fût-ce celle de l'État.»

20

Quand les raisins sont mûrs

Ma Chien-ya
(h)
Comptable d'une brigade de production

Gouache   87 x 120 cm

21

L'armée et la commune travaillant en équipe

Liu Fang
(f)
Membre d'une commune
Également l'auteur du n° 14

Gouache   94 x 77 cm

La seule différence notable entre militaires et membres d'une commune tient à la couleur de leurs vêtements. Ceci est délibéré car l'APL a pour principe fondamental d'entretenir des contacts étroits avec le peuple. Outre leur formation militaire, les soldats participent à toutes sortes d'activités dans le domaine de la production et des services. Ce principe remonte au code de comportement de l'Armée Rouge des premiers temps, au cours des guerres révolutionnaires. Cette participation constante est également un moyen d'éviter que l'armée ne soit manipulée et amenée à agir à l'encontre des intérêts du peuple.

22

Notre porcherie neuve

Wang Yung-yi   Yang Chih-hsien
(h)   (h)
Membre d'une commune   Membre d'une commune
                          Également l'auteur des n°s 12 et 26
Gouache   88 x 122 cm   *Reproduction en couleur, p. 56*

Le château d'eau porte l'inscription: «Si nous comptons sur nous-mêmes et travaillons dur, nous aurons une commune prospère.» Les porcs nous fournissent viande et cuir; ils mangent à peu près n'importe quoi et sont une importante source d'engrais. «Le porc est une usine d'engrais ambulante» et «Plus il y a de porcs, plus il y a de céréales» sont deux dictons chinois très populaires.

L'un des deux artistes, Yang Chih-hsien, est porcher. Il voulait, par cette œuvre, célébrer la construction de la porcherie, qui a été édifiée avec de grosses pierres amenées en voitures à bras des collines de l'Ouest, dans le canton de Hu. Les gourdes qui poussent entre les loges sont destinées à l'alimentation des porcs. Dans la rangée du bas se trouvent les cochons; au-dessus, les truies et leurs cochonnets; les porcelets déjà sevrés et destinés à l'abattage occupent la rangée suivante; tandis que les loges du haut abritent les verrats. Le château d'eau a été ajouté par les artistes.

23

Comment repiquer le riz

Liu Ying-kung
(h)
Instituteur au primaire d'une commune

Gouache   105 x 78 cm

24

Une belle récolte de tomates

Chiao Chai-yung
(f)
Membre d'une commune

Gouache   88 x 85 cm

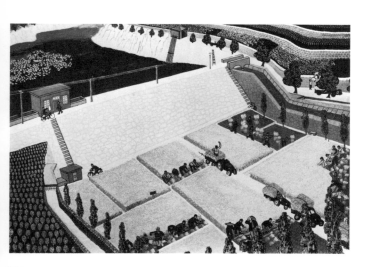

25

Le réservoir des Gorges profondes

Hang Kao-she
(h)
Membre d'une commune

Gouache   89 x 122 cm

26

Une autre bonne récolte

Yang Chih-hsien
(h)
Membre d'une commune
Également l'auteur des nᵒˢ 12 et 22

Gouache   90 x 123 cm

En haut, entre les poteaux télégraphiques, la banderolle proclame: «Faire de tout cœur, viser haut et obtenir de meilleurs résultats, plus spectaculaires, plus rapides et plus économiques en édifiant le socialisme» (slogan employé pour la première fois en 1958, année du Grand Bond.) Terrain de commune où l'on bat le grain. La machine, coin inférieur droit, étale l'inscription: «Fabriqué dans l'usine huhsienne de machines agricoles.»

27

À notre tour de garder le grain au déjeuner

Chang Fang-hsia
(f)
Membre d'une commune
Également l'auteur du nº 45

Gouache   89 x 61 cm

Pourquoi garder le grain? Les marxistes soutiennent que, dans la progression vers une société sans classes, il y a une transition lente suite à la révolution socialiste, pendant laquelle subsistent les classes sociales et où la bourgeoisie tentera de reprendre le pouvoir. En Chine, il y a d'anciens seigneurs et d'anciens paysans riches qui ne se consolent pas d'avoir perdu le pouvoir, ainsi que des gens qui aspirent au statut de nouveaux bourgeois, capables de mettre le désordre ou de faire du sabotage. Cela pourrait être particulièrement préjudiciable dans les communes où le produit des récoltes est concentré dans quelques centres seulement.

28

Une belle récolte de navets

Chu Hui-ling
(f)
Membre d'une commune

Gouache   63 x 88 cm

Tableau peint par une jeune fille qui, à sa sortie de l'école, est allée s'installer et travailler à la campagne. Première œuvre terminée. Elle n'avait jamais songé à peindre avant d'arriver dans le canton de Hu. Elle commença avec de petites illustrations pour les tableaux et les placards. Voici ce qu'elle dit de sa toile: «J'ai commencé à peindre les navets tout petits, je voulais en montrer le plus possible. Mais les paysans me dirent: ''Tu devrais faire de gros navets, parce que nous avons décidé de faire pousser des navets de plus en plus gros chaque année.'' Aussi ai-je eu recours à la méthode qui allie l'imagination et le réalisme. J'ai exagéré la taille des navets. On voit bien que le tracteur transporte ici beaucoup moins de navets que dans la réalité . . .»

29

Rencontre sportive de paysans

Hang Chin-pu
(h)
Membre d'une commune
Également l'auteur du n° 74

Gouache   90 x 61 cm

Reproduction en couleur, p. 57

**Sur le silo, en bas à droite, la maxime de Mao:
«Entreposez du grain partout.»**

30

Les kakis sont mûrs au pied du mont Chungnan

Tu Chih-lien
(h)
Membre d'une commune

Gouache   91 x 88 cm

31

Nouvel aspect de notre brigade

Cheng Min-sheng
(h)
Membre d'une commune
Également l'auteur des nos 8, 13, 50 et 68

Gouache   110 x 79 cm

À la campagne, la brigade est l'organisation de taille moyenne, intermédiaire entre l'équipe et la commune, et le terme se rapporte à un endroit (c'est-à-dire l'équivalent d'un ancien village) aussi bien qu'à un ensemble de personnes. Sur le château d'eau: «En agriculture, prenez modèle sur Tachai», slogan que l'on retrouve partout dans la campagne et qui fait allusion à une brigade des montagnes du Taihang dans la province de Shansi, dont les réalisations agricoles dans une zone aride et l'organisation autonome sont devenues un modèle pour tout le pays.

32

Sports et jeux

Liu Kuang-cheng
(h)
Membre d'une commune

Gouache   90 x 123 cm

Reproduction en couleur, p. 58

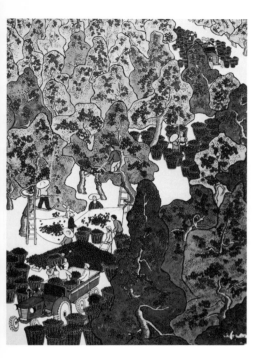

33

Une belle récolte de jujubes

Su Chun-liang
(h)
Membre d'une commune
Également l'auteur du n° 66

Gouache   123 x 88 cm

34

Un autre «bœuf de fer»

Pai Hsu-hao   Wang Yu-liang
(h)   (h)
Membre d'une commune   Instituteur d'une commune

Gouache   110 x 80 cm

35

On s'entraide pour la construction des maisons

Chin Li-she
(h)
Membre d'une commune

Gouache   63 x 88 cm

Reproduction en couleur, p. 59

À la campagne, chacun possède sa maison. On économise pour
acheter les matériaux, puis on s'entraide pour la construction. Les
maisons ne peuvent être achetées ni vendues, mais elles sont trans-
mises aux descendants ou à d'autres membres de la famille, à
défaut de quoi elles reviendront très probablement à l'équipe.

36

Une belle récolte d'aubergines

Li Tsui-ying
(f)
Membre d'une commune

Gouache   63 x 62 cm

37

La douce odeur du riz sur l'aire de battage

Hsieh Kao-wa
(h)
Membre d'une commune

Gouache   62 x 174 cm

Reproduction en couleur sur la couverture

38

En route pour les champs

Tsui Fan-tsu
(h)
Instituteur au primaire d'une commune

Gouache   62 x 172 cm

39

Comptoir d'État d'achat de coton

Lui Hui-sheng
(h)
Membre d'une commune

Gouache   77 x 52 cm

Reproduction en couleur, p. 61

40

En gardant les chèvres

Pai Tien-hsueh
(h)
Comptable d'une brigade de production
Également l'auteur des nos 7 et 60

Gouache   40 x 53 cm

41

Partie de ping-pong avec grand-père

Tsui Chun-hua
(f)
Membre d'une commune

Gouache 49 x 81 cm

42

Entreposez du grain partout

Ma Ya-li
(f)
Membre d'une commune
Également l'auteur du n° 11

Gouache 89 x 122 cm

Le titre est tiré de directives données par Mao: «Creusez de profonds tunnels, entreposez du grain partout et ne recherchez jamais l'hégémonie», slogan destiné à souligner que l'état de préparation militaire de la Chine doit avoir un caractère défensif («hégémonie» veut dire les actions auxquelles se livrent les très grandes puissances quand elles font plier les autres pays devant leurs propres intérêts). La dispersion des réserves de nourriture et des abris contre les raids aériens rendrait la tâche très difficile à un envahisseur éventuel qui voudrait paralyser le pays. L'inscription sur le silo de gauche dit: «Soyez prêts à faire face à l'ennemi, aux catastrophes naturelles et faites tout en fonction du peuple.»

43

Notre pharmacie à nous

Liu Shuan-chin
(f)
Membre d'une commune

Gouache   57 x 78 cm

Tableau qu'il faut évidemment rapprocher du n° 51 et qui illustre clairement les résultats de la campagne commencée en 1965 pour centrer le travail médical sur les régions rurales (Mao avait décrit de façon sardonique le Ministère de la santé de l'époque comme le «Ministère de la santé des messieurs de la «ville»). Aujourd'hui, non contentes de faire seulement pousser des plantes médicinales, les communes fabriquent elles-mêmes de nombreux médicaments. Le titre (comme, bien sûr, la façon dont le tableau est peint) montre bien la fierté que procure ce genre d'autonomie.

44

On célèbre une moisson abondante

Shih Hui-fang
(f)
Membre d'une commune
Également l'auteur du n° 69

Gouache   63 x 88 cm

45

La fertilisation des champs de coton

Chang Fang-hsia
(f)
Membre d'une commune
Également l'auteur du n° 27

Gouache   58 x 81 cm

46

La chanson des pompes

Li Ke-wen
(h)
Membre d'une commune
Également l'auteur du n° 63

Gouache   61 x 83 cm

47

L'élevage des vers à soie en plein air

Tung Yan-kuei
(h)
Membre d'une commune

Gouache   46 x 62 cm

48

Atelier d'éléments préfabriqués pour la construction

Chia Ke-chiang
(h)
Membre d'une commune

Gouache   80 x 55 cm

Reproduction en couleur, p. 60

Sur le panneau, en haut du tableau:
«Le Président Mao dit: Nous favorisons l'autonomie.»

49

Plus il y a de forêts, plus la récolte est bonne

Chou Wen-teh
(h)
Secrétaire adjoint du parti dans une brigade de production
Également l'auteur du n° 56

Gouache   55 x 122 cm

Des ceintures de forêts retiennent et stabilisent le sol, humidifient l'air, favorisant ainsi indirectement la moisson.

50

Métiers et professions, tout vient en aide à l'agriculture

Chang Chun-hsia
(f)
Membre d'une commune
Également l'auteur du n° 16

Cheng Min-sheng
(h)
Membre d'une commune
Également l'auteur des n°s 8,
13, 31 et 68

Gouache   107 x 43 cm (chacun)

Le cycle des quatre saisons.

51

Le travail dans notre jardin de plantes médicinales

Hsu Yu-mei
(f)
Membre d'une commune

Gouache   63 x 89 cm

En 1958, Mao écrivait: «La médecine et la pharmacologie chinoises renferment de nombreux trésors et des efforts devraient être entrepris pour les explorer et les élever à un niveau supérieur.» Aujourd'hui, la médecine occidentale moderne et la médecine chinoise traditionnelle (précédemment dénigrée) sont toutes deux pratiquées, souvent combinées. À la campagne, les plantes sont traditionnellement la principale source de médicaments, et les communes ont acquis une certaine autonomie médicale en faisant la cueillette de plantes médicinales sauvages et en apprenant à les cultiver.

52

Une abondante récolte de citrouilles

Hsiang Pin-wang
(h)
Membre d'une commune

Gouache   63 x 88 cm

53

«Le planning familial, c'est bien»

Sung Hou-cheng
(h)
Membre d'une commune

Gouache   79 x 120 cm

Un médecin aux pieds nus arrive sur les lieux du travail avec une exposition portative sur le planning familial, l'emploi des différentes sortes de pilules contraceptives (gratuites), etc. Un des objectifs de ce tableau est évidemment de montrer que le planning familial ne consiste pas à imposer mécaniquement une limite au nombre d'enfants, mais à discuter amicalement en fonction de la situation de chaque famille. La politique chinoise vise généralement à introduire le planning familial auprès de la majorité Han et à encourager au contraire les nationalités minoritaires du pays à accroître leur population.

54

Une abondante récolte de melons d'eau

Chang Chun-lan
(f)
Membre d'une commune

Gouache   79 x 88 cm

55

On apprend à tout âge

Shan Chun-jung
(h)
Membre d'une commune

Gouache   78 x 88 cm

Comme le proclame leur drapeau, ces jeunes sont des élèves de l'école moyenne n° 1 de Huhsien; ils profitent d'un système scolaire «à portes ouvertes», qui combine l'étude livresque en classe et l'expérimentation personnelle de la réalité, ce qui leur donne d'ailleurs souvent l'occasion de mettre la main à la pâte. L'inverse est également vrai: paysans, travailleurs et autres vont dans les écoles parler et transmettre leur expérience.

56

Le «Yu Kung» d'aujourd'hui

Chou Wen-teh
(h)
Secrétaire adjoint du parti d'une brigade de production
Également l'auteur du n° 49

Gouache   89 x 145 cm

Yu Kung est le «pauvre vieux fou qui déplaçait les montagnes». Les gros caractères sur le nouveau barrage se lisent ainsi: «Demandez aux hautes montagnes d'incliner la tête et exigez que les fleuves s'effacent.»

Yu Kung

Dans son discours de clôture au Septième Congrès national du Parti communiste chinois, le 11 juin 1945 (en plein milieu de la guerre civile et de la Guerre contre l'envahisseur japonais), Mao Tsé-toung donnait sa version d'une vieille histoire:

«... Il existe un ancien conte chinois appelé «Le pauvre vieux fou qui déplaçait les montagnes». C'est l'histoire d'un vieillard qui habitait en Chine du nord il y a longtemps, et qui était connu sous le nom de Vieux fou de la montagne du Nord. Sa maison donnait au sud et, face à l'entrée, s'élevait deux grands pics, Taihang et Wangwu, qui barraient l'horizon. Animé d'une farouche détermination, il partit avec ses fils à l'assaut de la montagne, houe en main. «Le vieux sage», un autre ancien, le vit et se moqua de lui en disant: «Comme c'est stupide de votre part de faire ça! Vous êtes trop peu nombreux! Vous n'arriverez jamais à faire disparaître ces deux énormes montagnes.» Le vieux fou répondit: «Après ma mort, mes fils continueront; quand ils mourront à leur tour, il y aura mes petits-fils, puis leurs fils et leurs petits-fils, et ainsi de suite, à l'infini. Si hautes soient-elles, ces montagnes ne peuvent pas s'élever plus haut et chaque morceau que nous leur arrachons les diminuent. Pourquoi ne pourrions-nous pas les faire disparaître?» Ayant ainsi refusé les arguments spécieux du vieux sage, il continua à creuser, inébranlable dans ses convictions. Dieu en fut ému et il envoya sur la terre deux anges, qui emportèrent les montagnes sur leurs dos. Aujourd'hui, deux grosses montagnes pèsent sur le peuple chinois comme un poids mort. L'une est l'impérialisme, l'autre, le féodalisme. Le Parti communiste chinois a depuis longtemps décidé de les abattre. Si nous persévérons et travaillons sans trêve, nous aussi, nous attendrirons le cœur de Dieu. Notre Dieu n'est autre que les masses du peuple chinois. Si elles se lèvent et creusent ensemble, pourquoi ces deux montagnes ne pourraient-elles disparaître?»

57

Ravissant le blé de la gueule du dragon

Ko Cheng-min
(h)
Membre d'une commune

Gouache   76 x 157 cm

Le titre fait allusion à la mobilisation des travailleurs et à la vitesse que la moisson exige. La petite note sur la gauche du tableau dit: «N'allumez pas de feux». Et entre les poteaux: «En agriculture, prenez modèle sur Tachai».

58

Beau temps, mauvais temps

Liu Hsu-hsu
(h)
Membre d'une commune

Gouache   77 x 56 cm

Un médecin aux pieds nus répondant à un appel de nuit. Les médecins aux pieds nus ne sont pas des médecins, mais des hommes et
des femmes ordinaires disséminés dans tout le pays, qui, avec un
ou deux mois de formation et de fréquents cours de recyclage, ac-
quièrent les connaissances médicales suffisantes pour soigner les
affections mineures. On peut voir sur le mur une affiche représen-
tant Norman Bethune, le docteur communiste canadien qui est allé
travaillé en Chine comme chirurgien-major dans la Guerre de résis-
tance contre les Japonais (1937–1945).

59

Un nouveau village, la nuit

Liu Hui-sheng
(h)
Membre d'une commune

Gouache   89 x 61 cm

La banderolle, au premier plan, dit: «Étudiez soigneusement la théorie de la dictature du prolétariat». «Dire librement ce que l'on pense,
afficher ses opinions sans restriction, tenir de grands débats et
écrire des banderolles en gros caractères sont de nouvelles façons
de poursuivre la révolution socialiste issue des masses populaires.
L'État devra assurer à celles-ci le droit de se servir de ces moyens
pour instaurer une situation politique où coexistent le centralisme
et la démocratie, la discipline et la liberté, une volonté commune et
la tranquilité d'esprit et l'entrain de chacun; cela permettra de ren-
forcer le rôle-pilote du Parti communiste chinois dans l'État et
d'affermir la dictature du prolétariat.» (Article 13 de la nouvelle
constitution, 1975.)

60

Occupations secondaires d'une brigade

Pai Tien-hsueh
(h)
Comptable d'une brigade de production
Également l'auteur des n°ˢ 7 et 40

Gouache   63 x 88 cm

61

«Voyez leur air brave et intelligent»

Chang Chin-feng
(h)
Membre d'une commune

Gouache   57 x 81 cm

Reproduction en couleur, p. 63

Chaque commune possède sa propre milice populaire, formée à l'art de la guérilla par des unités résidentes de l'APL. Le titre est tiré de la première ligne du poème de Mao «Femmes de la milice — inscription sur une photographie», écrit en février 1961.

> Voyez leur air brave et intelligent quand elles épaulent des fusils de cinq pieds
> Sur le champ de manœuvre éclairé par les premières lueurs du jour.
> Les filles de la Chine ont de nobles ambitions,
> C'est leur tenue de combat qu'elles aiment, et non leurs beaux atours.

62

L'aire de battage dans un village de montagne

Hsiung Ying-wu
(h)
Membre d'une commune

Gouache   63 x 88 cm

63

Creusant un puits dans une région montagneuse

Li Ke-wen
Membre d'une commune
Également l'auteur du n° 46

Gouache   157 x 53 cm

Les caractères que l'on voit près du sommet du puits disent: «En agriculture, prenez modèle sur Tachai».

64

Le four à briques de la commune

Chang Min-wu
(h)
Membre d'une commune

Gouache   63 x 88 cm

Reproduction en couleur, p. 62

Sur le four, on lit: «Usine de four à briques de la commune de Tawang». Sur la cheminée: «L'esprit de Yenan brille toujours avec éclat». Yenan est une petite ville de la province de Chen-si où les communistes ont établi leur base à la fin de la Longue marche. C'est là que maints principes de la révolution chinoise ont été mis en pratique pour la première fois pendant une longue période (1935–1948).

65

Récolte automnale

Wang Hsing-min   Hsin Chiang-lung
(h)   (h)
Comptable   Membre d'une commune

Gouache   62 x 88 cm

66

Récolte abondante de piments

Su Chun-liang
(h)
Membre d'une commune
Également l'auteur du nº 33

Gouache   62 x 84 cm

67

Blé exposé au soleil

Si Cheng-hua
(f)
Membre d'une commune

Gouache et encre   89 x 75 cm

68

Les femmes peuvent soutenir la moitié du ciel

Cheng Min-sheng
(h)
Membre d'une commune
Également l'auteur des nᵒˢ 8, 13, 31 et 50

Gouache   88 x 61 cm

La révolution chinoise a englobé dès sa naissance un mouvement de libération de la femme; auparavant, celle-ci était entièrement tributaire de l'homme et sujette à toutes sortes d'oppressions tant physiques (e.g., les pieds bandés) que mentales (e.g., une femme violée était censée se suicider). Voici quelques-uns des titres qui apparaissent sur le placard: «Brisez les chaînes millénaires!» (titre principal), «Les femmes peuvent soutenir la moitié du ciel!» «La doctrine de Confucius et de Mencius enseigne l'oppression des femmes», «Les femmes constituent une force dont dépend le succès de la révolution», «Lin Piao et Confucius sont les ennemis des travailleuses», «Ne permettez pas à Lin Piao et à Confucius de calomnier les femmes.»

69

La neige s'enfuit, vient le printemps

Shih Hui-fang
(f)
Membre d'une commune
Également l'auteur du nᵒ 44

Gouache   80 x 123 cm

Membres de la commune se préparant pour les semailles de printemps. On voit sur les murs deux murales, dont celle de gauche est une variante murale du cat. nᵒ 2. Les peintures huhsiennes ont été reproduites sous différentes formes, allant de la murale peinte en équipes au timbre-poste. Dans un milieu où l'œuvre artistique n'est pas propriété privée, on y voit là un geste de reconnaissance et non une incursion dans l'œuvre de l'artiste. Les caractères sur le mur disent: «Attaquez-vous aux grandes choses» (e.g., la lutte continuelle des classes), «Encouragez la production».

70

Ce que sont devenues nos montagnes

Chao Chun-min
(h)
Instituteur au primaire d'une commune

Gouache   111 x 81 cm

71

Le plein

Chin Wen-hu
(h)
Membre d'une commune
Également l'auteur du n° 72

Gouache   61 x 88 cm

72

Le sérieux de l'étude

Chin Wen-hu
(h)
Membre d'une commune
Également l'auteur du n° 71

Gouache   73 x 88 cm

La petite inscription au-dessus de la porte dit qu'un membre de
cette famille fait partie de l'APL. Sur le chapeau de paille, les caractères proclament: «Les communes populaires sont bonnes».

73

Après une bonne récolte, souvenez-vous de l'État

Liu Jui-chao
(h)
Membre d'une commune

Gouache   62 x 84 cm

Le titre du tableau apparaît sur le camion, en bas à droite, qui s'en
va livrer le surplus de grain qu'il avait été convenu de vendre à
l'État. Sur l'autre camion, on lit: «Répudiez l'idée confucianiste de
la retenue et du retour aux rites» (i.e., ne retournez pas à la vieille
mentalité d'esclave). Les caractères enfilés sur la corde disent:
«La critique de Lin Piao et de Confucius donne de bons résultats!»
Les caractères que l'on est en train de trier par terre: «Nous devrions
contribuer plus largement au bien-être de l'humanité.»

74

Transformation d'une colline aride en verger

Hang Chin-pu
(h)
Membre d'une commune
Également l'auteur du n° 29

Gouache   62 x 88 cm

Reproduction en couleur, p. 64

75

La transmission de l'expérience

Li Chou-cheng
(h)
Membre d'une commune

Gouache   68 x 102 cm

Reproduction en couleur, p. 65

«... les procédés de contacts et d'échanges face à face semblent être extrêmement importants dans la transmission et la démocratisation de la science en Chine. Comme ces échanges ne donnent pratiquement lieu à aucune publication, les observateurs occidentaux, qui ont tendance à croire que toute communication scientifique valable finit toujours par être imprimée, sont susceptibles de négliger ce qui semble être un vaste réseau d'échanges scientifiques informels dans la campagne chinoise.» (*China: Science Walks on Two Legs,* New York, 1974, p. 48). C'est un aspect de ce que les Chinois appellent la science «en plein air».

76

Le forage d'un puits

Fan Chih-hua
(h)
Directeur du groupe de recherche d'une brigade de production
Egalement l'auteur du n° 9

Gouache   55 x 77 cm

Reproduction en couleur, p. 66

Sur l'installation: «En agriculture, prenez modèle sur Tachai».

77

Notre commune regorge de racines de lotus

Tu Chien-jung
(h)
Membre d'une commune

Gouache   63 x 88 cm

Changsha
— sur l'air *Printemps au jardin de Qin*

独立寒秋，
湘江北去，
橘子洲头。
看万山红遍，
层林尽染；
漫江碧透，
百舸争流。
鹰击长空，
鱼翔浅底，
万类霜天竞自由。
怅寥廓，
问苍茫大地，
谁主沉浮？

携来百侣曾游。
忆往昔峥嵘岁月稠。
恰同学少年，
风华正茂；
书生意气，
挥斥方遒。
指点江山，
激扬文字，
粪土当年万户侯。
曾记否，
到中流击水，
浪遏飞舟？

Tout seul, debout dans la froidure de l'automne,
Auprès du fleuve Xiang qui s'en va vers le Nord,
À la pointe de l'Île aux Oranges,
Je regarde les dix mille montagnes toutes rouges
Avec leurs étages de forêts teintées,
Et sur la transparence verte des grandes eaux
Les barques par centaines qui filent à l'envi.
Des milans dans l'espace infini battent de l'aile;
Dans l'onde claire des bas-fonds les poissons glissent de-ci de-là.
Sous le ciel de givre, toutes les espèces vivantes font assaut de liberté.
Fasciné par ce spectacle prodigieux,
Je me demande qui, sur cette terre immense et foisonnante,
Préside à tant de submersions et d'émergences...

Jadis je me promenais ici, main dans la main, avec cent compagnons.
Je me remémore ces années et ces mois si riches en péripéties.
Nous étions de jeunes condisciples,
À la fleur de notre âge.
Dans notre fougue d'étudiants,
Nous tranchions de tout sans sourciller,
Réglant au doigt et à l'œil les affaires du pays,
Distribuant dans nos écrits l'invective et l'éloge.
Tous les seigneurs d'alors n'étaient pour nous qu'ordures.
Vous souvient-il?
Au milieu du courant nous frappions l'eau,
Et les remous interceptaient le vol de nos embarcations.

Mao Tsé-toung (1925)

Pèlerinage au mont Jinggang
— sur l'air *Prélude à la Mélodie de Shui Diao*

久有凌云志，
重上井冈山，
千里来寻故地，
旧貌变新颜。
到处莺歌燕舞，
更有潺潺流水，
高路入云端。
过了黄洋界，
险处不须看。

风雷动，
旌旗奋，
是人寰。
三十八年过去，
弹指一挥间。
可上九天揽月，
可下五洋捉鳖，
谈笑凯歌还。
世上无难事，
只要肯登攀。

Depuis longtemps j'avais désir de toucher aux nuages
En gravissant une fois encore le mont Jinggang.
De mille li, je suis venu à cette terre ancienne
Dont le vieux visage a pris des traits nouveaux.
Partout chantent les loriots, dansent les hirondelles
Et court l'eau en murmurant.
De grands arbres trouent les nuages de leurs têtes...
Passées les gorges de Huangyangjie
Il y a danger, ne vous penchez pas pour voir!

Vents et tonnerres, alors, s'étaient mis en branle;
Drapeaux et bannières vibraient d'enthousiasme;
Le pays recouvrait son assise...
Trente-huit années depuis sont passées
Le temps d'un claquement de doigts.
On peut monter jusqu'au Neuvième Ciel pour embrasser la lune;
On peut descendre dans les Cinq Océans pour prendre des tortues!
Reviennent les dialogues joyeux et les chants de victoire.
En ce monde rien n'est difficile;
Il suffit d'avoir la volonté de s'élever.

Mao Tsé-toung (1965)

18   Pose de conduites d'eau, par Liu Shuan-chin

22   Notre porcherie neuve, par Wang Yung-yi et Yang Chih-hsien

29
Rencontre sportive de paysans, par Hang Chin-pu

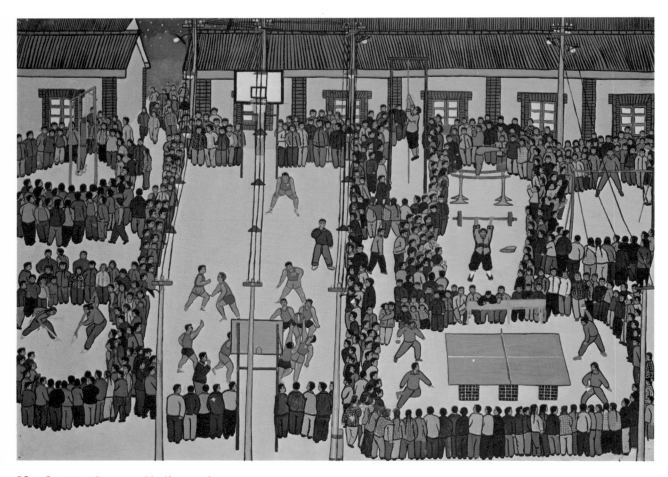

32   **Sports et jeux, par Liu Kuang-cheng**

35   On s'entraide pour la construction des maisons, par Chin Li-she

48

Atelier d'éléments préfabriqués pour la construction
par Chia Ke-chiang

39
Comptoir d'Etat d'achat de coton, par Liu Hui-sheng

64   Le four à briques de la commune, par Chang Min-wu

61   «Voyez leur air brave et intelligent», par Chang Chin-feng

74   Transformation d'une colline aride en verger, par Hang Chin-pu

75 **La transmission de l'expérience, par Li Chou-cheng**

76 Le forage d'un puits, par Fan Chih-hua

Qu'est-ce qu'un chemin?

C'est ce qui apparaît quand on a foulé aux pieds un endroit où auparavant seules les ronces poussaient. On en a fait avant nous et il y en aura toujours de nouveaux.

Lu Hsun (vers 1930)

La traduction française a été préparée par la Galerie nationale du Canada avec la gracieuse permission de l'Arts Council of Great Britain et de Guy Brett.

Photographies en noir et blanc fournies par l'Association chinoise pour l'amitié avec les peuples étrangers.
Photographies en couleur par Prudence Cuming

ISBN 0–88884–344–5

IMPRIMÉ AU CANADA
Diffusé par les Musées nationaux du Canada, Service du marketing,
Ottawa, Ontario K1A 0M8

Sur la couverture:
La bonne odeur du riz sur l'aire de battage (cat. nº 37)